TABLE DES MATIÈRES

ISBN : 2-215-062-35-5

Conforme à la loi n° 49-956 du
16 juillet 1949 sur les publications
destinées à la jeunesse.
Dépôt légal à date de parution.
Imprimé en Italie (01-00).

L'imagerie de la vie des enfants

Conception :
Émilie Beaumont

Textes :
Philippe Simon - Marie-Laure Bouet
Émilie Beaumont

Images :
Isabelle Rognoni - Colette Hus-David
M. I. A. - Isabella Misso

ÉDITIONS FLEURUS. 15-27, rue Moussorgski, 75018 PARIS

EN FAMILLE

L'ARBRE GÉNÉALOGIQUE

Les grands-parents, les cousins, les parents, les frères et sœurs : toutes les personnes qui ont un lien de parenté forment une famille.

Papa et Maman choisissent le prénom de leur bébé et le lui donnent le jou de sa naissance. Le nom de famille, c'est celui de Papa ou de Maman.

Les jumeaux sont les enfants d'Olivia et de Jacques. Et Paul, le frère de Jacques, a deux filles et un petit garçon qui sont donc les cousines et le cousin des jumeaux.

Michel est le papa de Lucie, qui est la maman de Laura. Michel est-il le grand-père de Laura ou son oncle ?

DES FAMILLES NOMBREUSES

Dans certaines familles, il y a beaucoup d'enfants. Chacun doit faire un petit effort et participer à la vie de la maison.

Dès qu'on peut, on fait son lit et on range sa chambre.

À tour de rôle, on met la table et on aide à nettoyer la cuisine.

Il faut plusieurs chariots pour ravitailler toute la maisonnée.

Les plus grands font faire leurs devoirs aux plus petits.

DES FAMILLES DIFFÉRENTES

Toutes les familles ne se ressemblent pas. Certains enfants vivent avec leur papa et leur maman, d'autres avec un seul parent.

Les parents de Luc et de Léo se sont mariés un beau jour d'été. La photo de leur mariage est dans le salon.

Les parents de Valérie ne sont pas mariés et ne portent pas le même nom. Mais ils s'aiment et vivent ensemble.

Alexandra n'a jamais connu son papa. Elle habite seule avec sa maman et l'accompagne partout.

Depuis la mort de leur maman, Marc et Yann vivent avec leur papa, qui a beaucoup à faire.

PAPA ET MAMAN ONT DIVORCÉ

Papa et Maman ont pensé qu'ils ne s'aimaient plus assez pour continuer à vivre ensemble. Ils ont divorcé et habitent chacun leur maison.

Julien pleure en serrant son ours. Il a du chagrin : Maman et Papa préfèrent vivre séparés.

Julien appelle Papa pour lui raconter sa journée et lui dire qu'il est un peu triste sans lui.

Julien parle de ses problèmes à Augustin, qui le comprend, car ses parents aussi sont séparés.

Julien est très heureux : Papa et Maman sont à nouveau réunis pour son anniversaire.

Julien s’est habitué à sa nouvelle vie. Maman et Papa ont refait une famille chacun de leur côté.

Julien vit avec sa maman.
Il a sa chambre et ses jouets.

Deux fois par mois, il passe le week-end avec son papa.

Papa et sa nouvelle femme ont donné un petit frère à Julien.

Il passe une partie des vacances avec Maman, l’autre avec Papa.

L'HABITATION

C'est le lieu dans lequel on vit. En général, il s'agit d'une maison ou d'un appartement.

À la campagne, les enfants d'éleveurs vivent dans une ferme.

Le style des maisons change suivant la région.

En ville, on habite souvent un appartement dans un immeuble.

Les maisons de montagne en bois s'appellent des chalets.

L'ENTRETIEN DE LA MAISON

La vie est bien agréable dans une maison confortable et propre, solide et bien entretenue. Il faut donc la nettoyer, la réparer, la décorer.

Pour faire disparaître la poussière qui s'accumule jour après jour, on passe l'aspirateur et un coup de chiffon.

La maison a besoin d'être remise en état de temps en temps. Quand un robinet fuit, Papa se transforme en plombier.

Parfois Maman recoud des boutons et raccommode des vêtements. Elle nous fait des pulls car elle aime bien tricoter.

Papa bricole très souvent dans la maison. Quand ce n'est pas trop dangereux, il veut bien que Dimitri participe.

L'ENTRETIEN DE LA MAISON

Chacun participe à l'entretien de la maison. Papa et Maman se partagent le travail. Quand on peut, on les aide. C'est parfois amusant !

Dimitri ramasse, dans sa brouette, les petits tas d'herbe que Maman râtisse quand Papa tond le gazon.

Pendant que Papa rénove les volets, Dimitri en profite pour peindre en rouge et vert ses vieilles quilles.

Le linge de maison et les vêtements sont lavés très souvent, puis repassés et pliés. Isa apprend à ranger les affaires dans les armoires.

DES IDÉES POUR AIDER

Même quand on est petit, on peut rendre service à Papa et Maman pour qu'ils aient moins de travail dans la maison.

On dépose ses vêtements sales dans le panier à linge.

En fin de journée, on range ses jouets dans le coffre.

À table, la serviette autour du cou protège les habits.

Les bottes boueuses restent à l'entrée pour ne pas salir la maison.

On ne saute pas sur le canapé, car on pourrait le casser.

Le petit déjeuner fini, on met son bol dans le lave-vaisselle.

LES DANGERS DE LA MAISON

Dans la maison, il y a des pièges. Avec Papa et Maman, on apprend à les connaître et à faire attention.

Se coincer les doigts dans une porte, cela fait très mal.

On risque de tomber si on se penche trop à la fenêtre.

ATTENTION DANGERS : la cuisinière et le four - les bougies allumées - les allumettes - le feu dans la cheminée - l'eau chaude au robinet.

Certains produits utilisés par Papa et Maman sont très dangereux. Surtout si on les avale. Mieux vaut ne pas y toucher.

C'est Papa ou Maman qui donne les médicaments pour se soigner.

Il ne faut pas prendre les produits qui servent au ménage.

DES OBJETS DANGEREUX : les outils comme la tondeuse à gazon et la perceuse, les appareils ménagers et les prises de courant.

PAPA ET MAMAN TRAVAILLENT

Chaque jour, ils vont travailler. Ils gagnent ainsi l'argent qui permet de faire vivre toute la famille.

Le matin, c'est la course ! Après le petit déjeuner, Papa nous fait vite un bisou. Maman nous prépare et nous accompagne à l'école.

Annie, notre nourrice, vient nous chercher à la sortie des classes et s'occupe de nous jusqu'à l'arrivée de Papa.

Les adultes ont un métier qu'ils ont appris quand ils étaient jeunes. Certaines mamans restent à la maison. Leur travail, c'est de s'occuper de leurs enfants.

L'argent gagné s'appelle le salaire. Il sert à nourrir et à habiller la famille, à acheter une voiture et à entretenir la maison, à se distraire...

Si on perd son emploi, il faut en chercher un autre pour ne pas rester au chômage trop longtemps.

Papy et Mamy ont bien travaillé autrefois. Maintenant, ils sont à la retraite et touchent une pension.

MAMAN NE TRAVAILLE PAS

La maman de Juliette et de Christophe ne travaille plus depuis la naissance du bébé. Elle reste à la maison pour élever ses enfants.

Les journées de Maman sont bien remplies, entre biberons, courses, ménage et préparation des repas.

L'heure de la sortie a sonné. Maman vient chercher ses grands enfants à l'école en compagnie du bébé.

Avant de rentrer à la maison, un petit arrêt au parc pour goûter et donner le biberon au bébé.

Le soir, en attendant le retour de Papa, les enfants racontent ce qu'ils ont fait dans la journée.

LE MOMENT DU REPAS

Le repas est un moment important, car toute la famille est réunie.
Mais, avant de se mettre à table, il faut tout préparer.

Papa coupe le pain et met
les morceaux dans la corbeille.

Maman arrose le rôti qui cuit
dans le four de la cuisine.

Sabine et Nicolas mettent la table
en disposant correctement les assiettes,
les couverts et les verres.

Papa demande à Nicolas de mettre
sa serviette autour de son cou pour
protéger ses vêtements.

Pendant le repas du soir, les parents et les enfants discutent. Ils parlent de ce qu'ils ont fait dans la journée. On écoute chacun sans lui couper la parole.

Maman explique qu'on ne mange pas la viande avec ses doigts.

Nicolas utilise donc sa fourchette pour attraper les aliments.

Lorsqu'on a la bouche pleine, on ne parle pas. Après le repas, tout le monde débarrasse la table et aide Maman à ranger la cuisine.

LA VIE EN SOCIÉTÉ

On vit toujours entouré de gens : la famille, les voisins, les amis et même des inconnus, avec lesquels on forme une société.

Pour entretenir de bonnes relations avec ses voisins, on leur rend de petits services comme prêter un outil ou faire des courses.

On leur dit bonjour quand on les rencontre dans la rue.

On accueille les enfants d'à côté quand leur maman s'absente.

LA VIE EN SOCIÉTÉ

Il faut respecter ceux qui nous entourent et l'endroit où l'on vit tous ensemble pour que la vie soit agréable.

Le son de la télévision est baissé pour ne pas gêner les voisins.

Le chien est tenu en laisse pour qu'il n'effraie personne.

Les papiers doivent être jetés dans les poubelles et non par terre.

On fait du vélo dans les allées et non sur les bordures de fleurs.

PARFOIS, ON SE DISPUTE

Dans toutes les familles, il arrive que l'on se dispute, mais, en général, on ne reste pas fâchés longtemps.

Estelle ne veut pas prêter sa poupée à sa sœur.

Maman, qui a entendu les cris, confisque la poupée.

Les deux sœurs sont en colère et pleurent chacune de son côté.

Papa n'est pas content d'avoir des petites filles qui se disputent.

LA VIE DES AUTRES ENFANTS

Tous les enfants du monde ne vivent pas de façon identique. Certains travaillent et ne vont pas à l'école, d'autres ne mangent pas à leur faim.

En Inde, la cuisine se fait à même le sol sur de petits brasiers.

En Iran, dans des villages, on se lave dans une sorte de gros chaudron.

En Afrique, des maisons de terre n'ont qu'une seule pièce. Dans certaines régions, les gens mangent avec leurs doigts, assis sur des tapis.

CHEZ LES COMMERÇANTS

Dans les magasins, on doit bien se conduire afin de ne pas déranger les autres personnes qui font leurs achats.

Quand on entre dans une boutique, on dit tout d'abord bonjour.

On n'ouvre pas un paquet de gâteaux avant de l'avoir payé.

Dans le supermarché, on ne crie pas et on ne court pas partout. On se tient correctement et on aide Maman à remplir le chariot.

APPRENDRE LA RUE

Les dangers de la ville sont nombreux. Mais il suffit de les connaître pour mieux les éviter.

Avant de traverser la rue, il faut attendre que le feu tricolore passe au rouge et que les voitures soient bien arrêtées.

On ne joue pas au ballon sur le trottoir, car il peut rouler sur la chaussée et provoquer un accident. On ne parle pas à un inconnu et on ne le suit pas, même s'il a l'air gentil. On attend Maman ou on rentre à la maison avec les amis.

LA FAMILLE VA S'AGRANDIR

Papa et Maman ont décidé d'avoir un deuxième enfant. Ils annoncent à Laura qu'elle aura bientôt un petit frère ou une petite sœur.

Un soir, alors que Laura fait un gros câlin à Papa, Maman lui dit qu'elle est enceinte. Laura pose beaucoup de questions et Maman lui explique comment le bébé va grandir dans son ventre.

Le matin, au petit déjeuner, Maman a souvent mal au cœur. Elle ne supporte plus l'odeur du café !

Jour après jour, le ventre de Maman s'arrondit et devient de plus en plus gros, un vrai ballon !

MAMAN A UN VENTRE TOUT ROND

Le bébé va bientôt naître, ce sera un petit garçon. Maman a de plus en plus de mal à se baisser, car son ventre est énorme.

Laura met la main sur le ventre de Maman pour sentir bouger le bébé. En y posant sa tête, elle fait un câlin aux deux en même temps !

Tout est prêt pour accueillir le petit frère de Laura. Papa et Maman ont acheté le berceau et les vêtements. Vivement qu'il arrive !

BÉBÉ EST ARRIVÉ

Un matin, Maman a senti une douleur dans son ventre et Papa l'a accompagnée à la clinique. Bébé est né.

Laura est tout intimidée et n'ose pas le toucher. Il a l'air si fragile !

Dès qu'il fait beau, on promène le petit frère dans le parc.

Pendant la toilette de son frère, Laura, qui a fait couper ses jolies nattes, joue à la maman avec sa poupée. Elle aimerait bien donner le bain au bébé, mais elle est trop petite !

BÉBÉ A GRANDI

Bébé ne dort plus toute la journée dans son berceau. Il commence à s'intéresser au monde qui l'entoure.

Quand son petit frère est arrivé, Laura était jalouse, car Maman s'occupait moins d'elle. C'est normal, un bébé prend du temps.

Maintenant qu'il a grandi, Maman le laisse souvent sous la surveillance de Laura, qui est très fière de le présenter à ses amis.

L'ADOPTION

Sandrine et Christophe ne peuvent pas avoir d'enfants.
Ils décident d'en adopter pour fonder une famille.

Ils regardent un livret qui leur précise ce qu'ils doivent faire. Peu de temps après, ils se rendent auprès d'une personne spécialisée qui va les aider.

Ils sont très heureux. Ils ont adopté une petite Coréenne et, un an plus tard, un petit Africain. Les deux enfants sont maintenant frère et sœur.

LES ÉTAPES DE LA VIE

Pendant toute notre vie, le corps change. On est d'abord un bébé, puis un petit enfant, un adolescent, un adulte, et enfin une personne âgée.

À la naissance, on a besoin de Maman, car on ne fait que manger et dormir.

Après quelques années, on se débrouille tout seul. On va à l'école.

Puis on devient un adolescent. Le corps se transforme.

Devenu adulte, on décide en général de fonder une famille.

Un jour, on a des petits-enfants et on devient grands-parents.

Quand on est âgé, on ne travaille plus et on profite de sa retraite.

MOURIR, C'EST S'ENDORMIR POUR TOUJOURS

Un jour, quand on est vieux, le cœur s'arrête de battre : on meurt. Mais malheureusement, on peut mourir jeune, d'une maladie ou d'un accident.

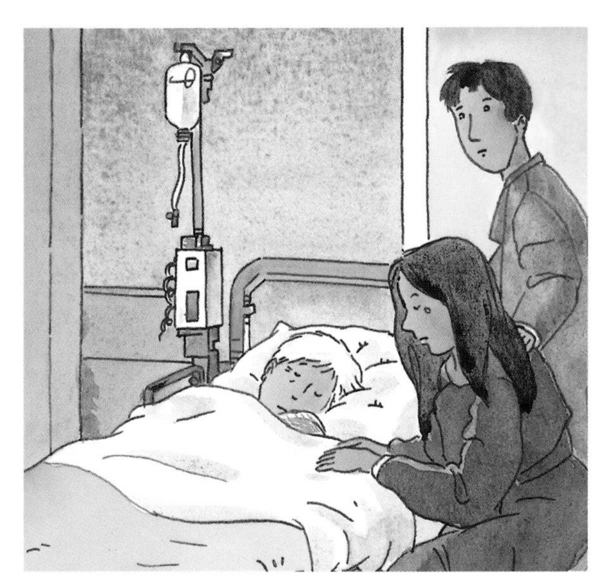

Ce matin, Maman a reçu un appel téléphonique et des larmes ont coulé sur ses joues. Elle a expliqué à Élodie que sa grand-mère, qui était malade, s'est endormie pour toujours et qu'on ne la reverra plus.

Mamie repose au cimetière. Élodie va souvent sur sa tombe pour y déposer des fleurs. Elle aime regarder avec Maman l'album de photos pour se souvenir des bons moments passés avec sa grand-mère.

AVOIR UN ANIMAL FAMILIER

Julie a un petit chien. C'est son compagnon de jeu et son confident.
Elle lui dit ses petits secrets et s'en occupe avec soin.

Julie a acheté son animal dans un magasin. Elle lui a donné un nom, Pipo, et l'a emmené chez le vétérinaire pour qu'il le vaccine.

Le soir, Julie donne à manger à Pipo. Elle le sort souvent pour qu'il fasse ses besoins et elle l'emmène au parc pour jouer avec lui.

L'ÉCOLE

VIVRE AVEC LES AUTRES

À l'école ou au centre aéré, on rencontre d'autres enfants qui ne sont pas nos frères et sœurs, et des adultes qui ne sont pas nos parents.

Le mercredi, au centre aéré, on s'amuse bien. On peut peindre, regarder des livres, dessiner ou jouer. On se fait de nouveaux amis.

À l'école, on apprend à s'exprimer, à bien écouter ce que dit la maîtresse et à être sage.

Il faut prendre soin de ses affaires et du matériel de la classe. Julien prête ses crayons de couleur à Léa.

APPRENDRE : UN EFFORT ET UN PLAISIR

Avec la maîtresse et les autres élèves, on découvre de nouveaux jeux et de nouvelles activités. On fait des efforts, mais quel plaisir de réussir !

Trouver la forme qui manque pour finir sa série, fabriquer un objet en pâte à modeler, sauter le plus haut possible : tout ce qu'on fait à l'école permet de développer son corps, son intelligence et d'apprendre de nouvelles choses.

Sabine s'applique pour faire un beau dessin. La maîtresse sera contente, Papa et Maman aussi.

Sophie a un peu peur sur la poutre étroite, mais la maîtresse est là. Elle finit toute seule. Elle est très fière.

APPRENDRE À S'EXPRIMER

Savoir parler, c'est important pour dire ce que l'on pense, pour comprendre ce que disent les autres, pour dialoguer.

Aujourd'hui, la maîtresse enseigne aux enfants le nom des fleurs.

Chacun raconte ce qu'il a fait la veille à la maison.

Les élèves ont préparé une pièce de théâtre pour la fête de l'école. Ils ont appris par cœur les phrases qu'ils doivent répéter.

POURQUOI APPRENDRE À S'EXPRIMER ?

Parler, c'est communiquer. Certaines personnes sont muettes, elles ne peuvent pas parler. Elles se font comprendre par des gestes.

Si tu ne parlais pas bien, personne ne te comprendrait. Tu ne pourrais pas téléphoner à ton ami ou demander des bonbons à la boulangère.

Si tu avais peur de parler, tu resterais seul dans ton coin. Tu n'oserais pas aller vers les autres et leur dire que tu aimerais jouer avec eux.

APPRENDRE À ÉCRIRE

Apprendre à écrire demande de la patience, de la concentration et de l'habileté manuelle. Il faut recommencer plusieurs fois avant de réussir.

À la maternelle, on s'entraîne à reproduire des lettres et parfois des mots. On n'y arrive pas du premier coup. Mais il ne faut pas se décourager.
En suivant le modèle, Dimitri essaie de bien former les lettres de son prénom.
Ce n'est pas facile !

Sur la grande feuille de papier, la maîtresse a inscrit des chiffres, les uns au-dessus des autres, dans une case. Les élèves s'appliquent en complétant les lignes. Certains chiffres sont plus difficiles à écrire que d'autres.

POURQUOI DOIT-ON SAVOIR ÉCRIRE ?

À l'école, au travail, dans la vie de tous les jours, on est obligés d'écrire. Il est donc important de bien apprendre.

Maman écrit une lettre de réclamation auprès d'une société.

Papa remplit son chèque à la caisse, pour régler les courses.

Au travail, on utilise rarement son stylo pour le courrier. On tape les mots sur un clavier d'ordinateur.

À la Poste, il faut parfois remplir des formulaires, pour envoyer une lettre recommandée, par exemple.

DU GRIBOUILLAGE À L'ÉCRITURE

Bébé, on s'amuse à gribouiller et à peindre avec ses mains. Plus grand, on contrôle mieux ses gestes et on dessine ce que l'on voit.

Bébé a dix-huit mois. Il fait des traits de toutes les couleurs. Il adore tremper ses doigts dans la peinture et barbouiller le papier.

À quatre ans, on trace des bonshommes. Ce n'est pas très ressemblant, mais c'est un bon début !

À cinq ans, beaucoup plus habile, on est capable de reproduire un mot à partir d'un modèle.

APPRENDRE À COMPTER

Compter des objets, reconnaître des formes géométriques : C'est tout cela que l'on apprend pendant la leçon de calcul.

La maîtresse a dessiné, sur la grande feuille de papier, des fleurs et des animaux pour faire compter les élèves. Elle leur demande combien il y a de roses, de canards et de chats. Et toi, es-tu capable de répondre ?

S'éveiller aux mathématiques, c'est savoir trier, associer et aussi repérer les éléments qui ne font pas partie d'une famille. Pour t'amuser, regarde bien ces différentes suites de dessins et trouve ceux qui ne vont pas avec les autres.

POURQUOI FAUT-IL APPRENDRE À COMPTER ?

Quand on est grand, on fait souvent des opérations à l'aide d'une calculette, mais avant il est indispensable de connaître les nombres.

Quand on sait compter, on peut savoir combien on a de sous dans sa tirelire ou contrôler la monnaie que rend le commerçant.

La maîtresse compte les élèves qui montent dans le bus.

Devenu grand, on peut calculer la réduction accordée par le vendeur.

ACTIVITÉS DE DÉCOUVERTE

La maîtresse organise des sorties dans les musées, les fermes, en forêt... pour mieux nous expliquer le monde qui nous entoure.

À la ferme, Julien est très heureux de donner le biberon à un chevreau.

En forêt, on découvre au pied d'un arbre un nid de rouge-gorge.

À l'aquarium, on regarde passer les requins avec appréhension.

À l'école, dans un coin du jardin, on fait pousser des fleurs.

Apprendre l'histoire permet de connaître tout ce qui s'est passé avant notre époque. Émilie et les élèves de sa classe visitent un château fort. La maîtresse leur raconte la vie des chevaliers et ils sont très surpris par la grandeur de la construction, et surtout par les souterrains et les grandes salles traversées de courants d'air.

On rencontre des gens qui nous font découvrir leur métier. On va visiter aussi des musées et des expositions. À celle sur l'espace, un guide répond à nos questions sur les fusées, la Lune et le Soleil.
On a la chance de voir de près la tenue des cosmonautes, c'est très impressionnant.

FAIRE POUSSER DES GRAINES

Pour savoir comment pousse une plante, rien de tel que de faire germer une graine.

C'est facile : il suffit de prendre une assiette, de verser un peu d'eau et d'y déposer du coton. Au centre, on met des haricots blancs ou des lentilles, que l'on recouvre d'une fine couche de coton humide. L'assiette doit être laissée au chaud et à la lumière.
Il ne faut pas oublier d'arroser de temps en temps.

Au bout de quelques jours, une petite tige apparaît. On place la graine dans un pot avec de la terre en laissant dépasser la tige. Ainsi, on peut voir pousser les petites feuilles et observer la croissance de la plante.

DES EXERCICES PHYSIQUES

Avec la maîtresse, on fait des exercices pour apprendre à respirer, à trouver son équilibre, à se diriger dans l'espace.

On apprend à s'orienter en s'amusant avec les autres à sauter des cubes vers la droite ou la gauche et à enjamber des cerceaux disposés à terre.

À la récréation, on continue à faire des exercices : on saute à la corde, on joue à la marelle ou on essaie de marcher sur des rondins de bois.

LES JOURS DE FÊTE

À l'école, tout au long de l'année, on apprend à vivre ensemble et à partager de bons moments.

Chaque année, avant Noël, on décore le sapin et la classe de guirlandes et de boules. On apprend des chansons de Noël. On dessine de jolies cartes pour ceux qu'on aime. Quelques jours avant les vacances, on reçoit un cadeau.

On fête l'anniversaire de chacun. Les mamans font des gâteaux que l'on se partage et celui qui a un an de plus souffle ses bougies. Parfois, on prépare le gâteau à l'école. Chacun apporte des ingrédients et la maîtresse le fait cuire dans le four de la cantine.

DES ACTIVITÉS ARTISTIQUES

À l'école, on nous fait faire des activités pour éveiller l'artiste qui sommeille en nous.

À partir d'un visage, chacun invente un corps et un décor.

Pour faire des pitreries de clown, c'est mieux de se maquiller.

Avec de la pâte à papier que l'on fabrique tous ensemble, on crée différents objets que l'on décore ensuite avec de la peinture.

LA CANTINE

À midi, des enfants rentrent à la maison ou chez leur nourrice, d'autres restent à l'école et déjeunent à la cantine.

Dans certaines cantines,
on se sert tout seul :
chacun a son plateau
et dépose dessus
l'entrée, le plat et
le dessert qu'il a choisis.
Tout est organisé pour
qu'on ne prenne pas
toujours la même chose.
On n'oublie pas de
rapporter son plateau.

Des dames de service
nous servent et coupent
notre viande.
Pendant le repas,
on ne crie pas,
on mange proprement,
on met sa serviette
pour ne pas se salir
et on ne sort pas
de table avant qu'on
nous le dise.

LA SIESTE POUR LES PETITS

Après le déjeuner, on a besoin de se reposer un peu. On va s'étendre sur des lits, dans la salle de repos, pour la sieste.

La matinée est fatigante.
L'après-midi, on a sommeil.

En s'allongeant, on se détend, même si on ne dort pas.

Chacun a pris son doudou.
Chut ! Il ne faut plus faire de bruit.

Après la sieste, bien reposé, on peut retourner en classe.

À LA GARDERIE

Si personne ne peut venir nous chercher quand l'école est finie, on reste à la garderie.

L'été, on s'amuse dans la cour. On joue aux billes, à la balançoire. On escalade des rondins. Un jeu rigolo consiste à remplir d'eau des récipients et à faire tourner les roues d'un moulin.

Les enfants sont rassemblés dans une grande salle. On fait un jeu seul ou avec d'autres. Il y a des poupées, des dînettes, des cubes pour construire des tours géantes, du matériel de dessin...

LA GRANDE ÉCOLE

Après la maternelle, on entre à la grande école. C'est sérieux, on va apprendre à lire, à écrire et à compter, et plein d'autres choses !

Un des premiers plaisirs est d'acheter puis de préparer son cartable et d'y mettre des cahiers, des livres, une trousse, des crayons de couleur...

La maîtresse confie à chaque élève des livres pour lire et apprendre et des cahiers pour écrire dedans.

On doit écouter attentivement la maîtresse et essayer de répondre aux questions qu'elle pose.

SOINS DU CORPS

LA TOILETTE

Chaque jour, il faut se laver pour éliminer les traces de transpiration et enlever la poussière qui s'est déposée sur le corps.

Le matin, l'eau tiède de la douche permet de se réveiller complètement et tout en douceur.

Il faut se laver les dents tous les matins et tous les soirs avec une brosse et du dentifrice, pour éviter les caries.

Souvent, en fin d'après-midi, on a du temps pour prendre un bain. C'est très agréable ! On peut s'amuser dans l'eau avec ses jouets. Il faut quand même éviter de trop remuer pour ne pas inonder toute la salle de bains !

Quand on est propre, on se sent mieux. De plus, en se lavant, on chasse de minuscules petites bêtes, les microbes, qui pourraient rester sur la peau et provoquer des maladies ou des boutons.

Les cheveux bien lavés sentent bon et sont plus faciles à coiffer.

C'est plus joli d'avoir des ongles propres et bien coupés.

Maman nettoie doucement les oreilles pour enlever les saletés.

Avant chaque repas, il est important de se laver les mains.

POURQUOI FAUT-IL ÊTRE PROPRE ?

Si on ne se lavait pas régulièrement le corps, les dents et les cheveux, on pourrait attraper des maladies.

Si on ne se lave pas les dents, on sent mauvais de la bouche.

Les odeurs de transpiration sont désagréables pour soi et les autres.

Les copains se moquent si on est sale et si on sent mauvais.

On est quand même plus beau quand on est tout propre !

S'HABILLER

On s'habille pour ne pas être vu tout nu et aussi pour se protéger du froid, de la pluie et du soleil.

On change de vêtements en fonction du temps et des saisons. Sur ce dessin, regarde bien la tenue de chaque enfant et essaie de trouver le temps qu'il fait en fonction de ce qu'il porte : doux, très chaud, froid ou pluvieux.

Dans les pays chauds, on s'habille légèrement. Dans les pays froids, on se couvre chaudement. Au pôle Nord, on ne porte pas des habits trop fins. Dans les îles au soleil, on a rarement l'occasion de porter un anorak !

LES VÊTEMENTS

On ne met pas toujours le même genre de vêtements.
On change de tenue suivant ce que l'on fait dans la journée.

Jolie robe pour un mariage

Pantalon et sweat pour l'école

Pyjama pour dormir

Jogging pour le sport

Tous les matins, on met des sous-vêtements propres.

Les habits sont abîmés ou trop petits : il faut en acheter d'autres.

BIEN SE NOURRIR

Comme une voiture a besoin d'essence pour rouler, le corps a besoin de nourriture pour être en forme et nous permettre de jouer, courir...

Chaque aliment contient des éléments importants. Pour être en bonne santé, il faut manger de tout. Même des bonbons, mais pas trop !

Quand on est un jeune enfant, on prend quatre repas par jour. Ainsi, le corps ne manque jamais d'énergie. Le repas doit être constitué d'aliments différents pour être équilibré et complet.

Voici quatre plateaux. Sur chacun d'eux sont rassemblés les aliments composant un des repas de la journée. Reconnais celui du petit déjeuner, du déjeuner, du goûter et du dîner. Décris la nourriture de chaque plateau.

Pour que le corps digère correctement et assimile tous les aliments, il faut bien mâcher la nourriture, manger calmement, ne pas s'énerver ou se mettre en colère. Après le repas, un peu de repos est nécessaire. On jouera au ballon plus tard.

BIEN DORMIR

Les hommes, comme les animaux, ont besoin de dormir pour que le corps se repose. Mais ce n'est pas toujours facile d'aller au lit !

Quand on est petit, on dort plus que les grands. L'après-midi, on fait une sieste. Le soir, on se couche de bonne heure : un petit câlin et dodo !

Nicolas a du mal à s'endormir, car demain c'est la rentrée des classes.

Karine a peur dans le noir, alors Papa allume la veilleuse.

LES RÊVES ET LES CAUCHEMARS

Toutes les nuits, pendant des moments très courts, on rêve.
Mais on ne s'en souvient pas toujours.

Les rêves ne sont pas la réalité. Ce sont des histoires qu'on invente sans le savoir. Les rêves qui font peur s'appellent des cauchemars.

Amélie a fait un cauchemar, elle a eu très peur. Maman la rassure pour qu'elle puisse se rendormir.

Ce matin, Maman raconte à Amélie qu'elle a parlé à haute voix cette nuit. Mais la petite fille ne s'en souvient pas.

BOUGER

Courir, sauter, bouger : c'est bon pour la santé, car cela permet de développer les muscles, les poumons et le cœur.

Se déplacer sur des patins à roulettes ou sur son tricycle, jouer à la patinette, dévaler les pentes sur une luge : rien de tel pour être en forme, même si parfois on se fait quelques bleus ou des égratignures !

Grâce à l'exercice, le corps est plus résistant et se fatigue moins.

Après avoir bien joué, on est épuisé mais détendu et heureux.

ON BOUGE, DÈS LA NAISSANCE

Le petit frère de Nina vient tout juste de naître et il est déjà capable de faire des gestes bien précis.

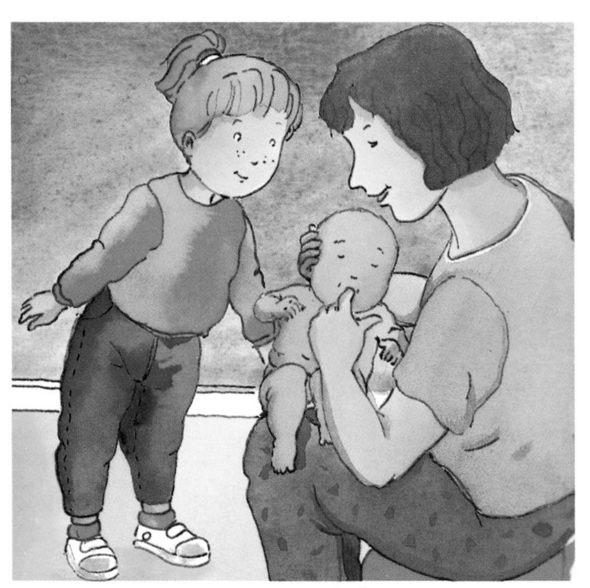

Bébé suce le doigt de Maman comme s'il avait une tétine.

Si on grattouille l'intérieur de sa main avec un doigt, il l'agrippe.

Ses mains refermées sur les doigts de Maman, Bébé ne lâche pas quand elle essaie de le soulever.

Debout, légèrement penché, Bébé se met à marcher. Il a le réflexe d'avancer un pied devant l'autre.

LA VISITE CHEZ LE PÉDIATRE

Le pédiatre est le médecin des enfants. À chaque visite, il s'assure que l'enfant grandit bien et que ses organes sont en bonne santé.

Le pédiatre vérifie que le cœur de Marie bat correctement.

Il regarde si son poids est normal par rapport à sa taille.

Il lui fait tenir un crayon, pour contrôler ses gestes.

Il lui demande de reconnaître des animaux, pour contrôler sa vue.

LA VISITE CHEZ LE PÉDIATRE

Avant d'entrer à l'école maternelle, il faut aller chez le pédiatre pour être sûr que tout va bien et que l'on est en forme pour cette nouvelle vie.

Il fait dessiner pour voir ce que l'on est capable de reproduire.

Un petit tour sous la toise pour vérifier la taille.

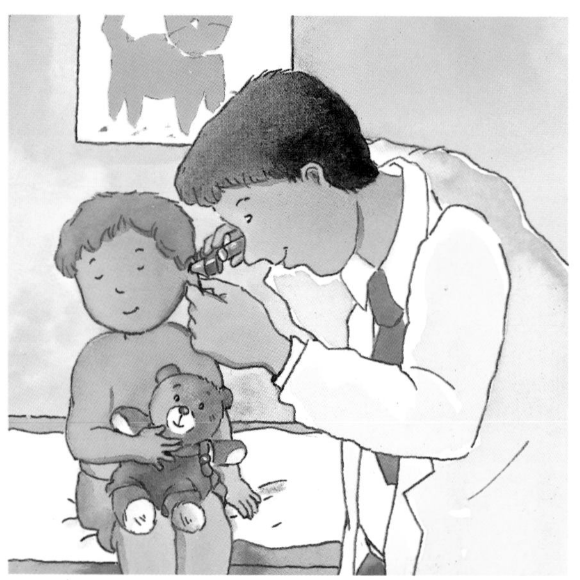

Inspection des oreilles ! C'est important de bien entendre.

Tous les vaccins doivent être faits pour éviter certaines maladies.

CHEZ LE DENTISTE

Le dentiste est le médecin spécialiste des dents. Il donne des soins mais aussi des conseils pour avoir une denture en bon état.

Stéphanie vient pour la première fois. Elle n'a pas mal, mais sa maman souhaite que le dentiste vérifie la position de ses dents. La petite fille est impressionnée par tous les instruments. Le dentiste lui explique à quoi ils servent.

Chaque dent a un rôle : les incisives coupent, les canines déchirent et les molaires écrasent.

Quand on perd une dent, on la met sous son oreiller, car la petite souris passera sûrement déposer un cadeau.

POUR DES DENTS EN BONNE SANTÉ

Les dents sont recouvertes d'une matière très dure, mais elles sont quand même fragiles. Il faut en prendre soin.

On brise les pattes du crabe avec un outil, pas avec les dents.

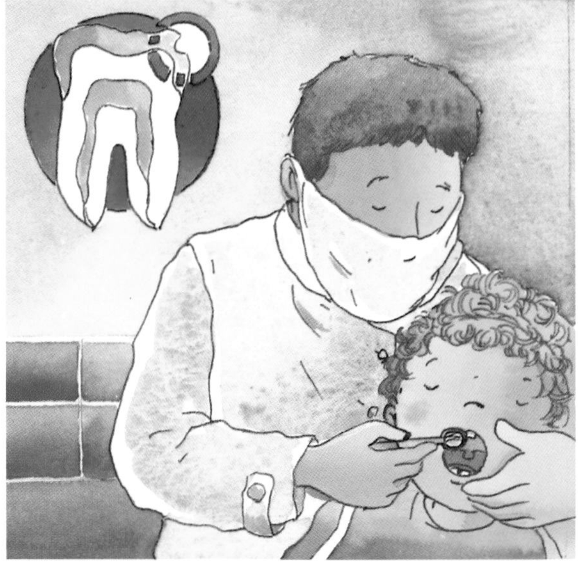

Une carie est un trou dans la dent que le dentiste rebouche.

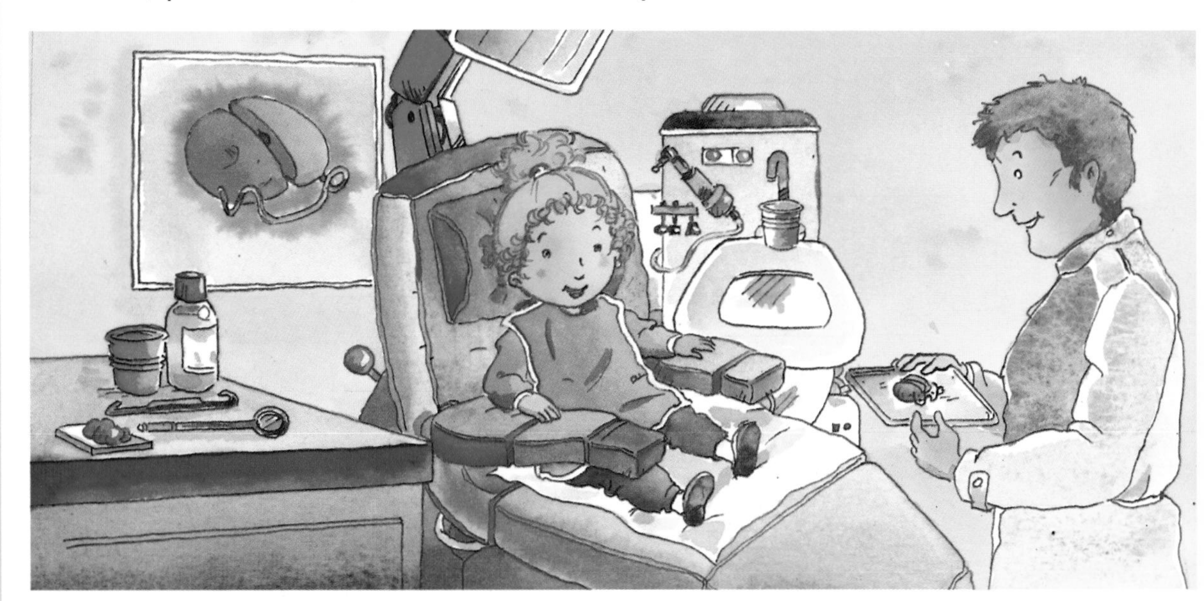

Pour redresser les dents qui ne poussent pas bien, il est parfois nécessaire de poser un appareil afin qu'elles reprennent leur place.

L'ORTHOPHONISTE ET LE PSYCHOMOTRICIEN

L'orthophoniste aide à bien prononcer les mots et à bien construire les phrases. Le psychomotricien apprend à être à l'aise dans son corps.

Quand on dit « cocholat » pour « chocolat », l'orthophoniste donne des exercices à faire. Après quelques séances, on ne fait plus d'erreur.

Passer entre les barreaux de l'échelle, marcher à reculons : ces exercices apprennent à mieux contrôler ses mouvements.

LA MALADIE

Quand on est malade, le médecin vient à la maison pour nous ausculter. Il donne une liste de médicaments qui soignent et guérissent.

Mélanie est fatiguée. Elle a de la fièvre. Des boutons sont apparus sur son visage et sur tout son corps.

Ce n'est pas grave. Mélanie a la varicelle, une maladie que l'on attrape généralement quand on est jeune.

Le médecin précise à Mélanie qu'il ne faut pas gratter ses boutons pour ne pas avoir de marques sur la peau.

Maman étale doucement un peu de pommade sur les boutons pour éviter qu'ils démangent.

UNE LONGUE PÉRIODE DE SOINS

Quand une maladie ne peut être soignée à la maison, on va à l'hôpital. Des médecins et des infirmières s'occupent de nous jour et nuit.

Papa et Maman rendent visite à Benjamin. Ils lui ont apporté un cadeau. Ce soir, ils dormiront à l'hôpital pour être près de lui.

Quand le médecin le permet, Papa et Maman peuvent rester auprès de Benjamin pendant que l'infirmière s'occupe de lui. Ainsi, il a moins peur.

L'infirmière a donné ses médicaments à Benjamin et l'a aidé à faire sa toilette. Après les soins, il peut regarder la télévision dans sa chambre ou retrouver d'autres enfants.

Benjamin a été emmené dans la salle de jeux. Au milieu de ses petits camarades, le temps paraît moins long.

Il y a une école pour ceux qui restent longtemps à l'hôpital.

Parfois, des clowns donnent un spectacle pour nous distraire.

JEUX ET LOISIRS

LES JEUX ET LES JOUETS

Les jouets permettent de se créer un autre monde, d'inventer des histoires, de parler, de laisser aller son imagination.

Bébé suit le mouvement des peluches qui tournent et se balancent au-dessus de son lit.

Déguisé en Zorro, on peut imaginer que l'on va délivrer une jolie princesse, prisonnière de méchants brigands.

Marie parle à sa poupée. Elle utilise les mêmes mots pleins de tendresse de sa maman.

Aurélien s'amuse à faire descendre ses petites voitures dans l'ascenseur du garage.

Jouer, c'est aussi apprendre, découvrir, imaginer, fabriquer, tout seul ou à plusieurs.

Grâce à son tableau d'éveil, Matthieu découvre des bruits.

Sur son ordinateur, Amélie apprend des mots en jouant.

Annie prépare le dîner en surveillant son bébé, et ses amis construisent une cabane. Ils imaginent une histoire dont ils sont les héros.

LA LECTURE

Écouter une histoire en faisant un gros câlin ou découvrir seul des images : ce sont des plaisirs que nous offrent les livres.

Avant d'aller se coucher, on se détend en écoutant une histoire.

Thomas essaie d'associer les noms et les images. Pas facile !

le chat

le bonbon

la voiture

le bateau

Regarde ces quatre images. Peux-tu trouver leur nom parmi ceux écrits sur les quatre étiquettes ?

LA BIBLIOTHÈQUE

À la bibliothèque, il y a beaucoup de livres. On peut regarder des albums sur place ou les emporter à la maison.

Les livres ne doivent pas être abîmés. Pour les feuilleter, il faut s'asseoir à une table et tourner les pages tranquillement pour ne pas les déchirer.

La personne qui s'occupe des livres s'appelle le bibliothécaire. Souvent, il choisit un livre, s'installe au milieu des enfants et leur lit une histoire.

À LA PISCINE

Quel plaisir de s'amuser dans la piscine ! C'est sans danger parce que les parents nous accompagnent et les moniteurs nous surveillent.

Au milieu des bouées, des tapis et des boudins flottants, on apprend à ne pas avoir peur et même à mettre la tête sous l'eau.

LES ACTIVITÉS DU MERCREDI

Le mercredi, il n'y a pas d'école. On va au centre aéré, chez sa nourrice, ou on reste à la maison.

Papa et Maman travaillent. Juliette passe la journée chez sa nounou, qui l'emmène se promener et jouer dans le parc quand il fait beau.

L'après-midi, avec Maman, on en profite pour préparer des gâteaux que l'on mangera avec les amis invités à goûter.

D'AUTRES ACTIVITÉS

Le mercredi est aussi le jour où on peut pratiquer une activité sportive ou artistique avec d'autres amis.

Au club de sport, en kimono, Adrien s'initie au judo.

Au cours de danse, Léa évolue au rythme de la musique.

À l'école de musique, Jocelyn apprend à jouer du xylophone.

Au centre équestre, Sabrina et ses amis montent des poneys.

DES MOMENTS EXTRAORDINAIRES

Le zoo, le cirque, la fête foraine ou le parc d'attractions nous laissent de bons souvenirs que l'on n'oublie jamais.

Au zoo, on voit des animaux venus de pays lointains.

Dresseurs, clowns, acrobates présentent chacun leur numéro.

Faire un tour de manège, manger de la barbe à papa, lancer des fléchettes, pêcher à la ligne, quel plaisir !

Une journée au parc d'attractions, c'est court. Il y a tant de choses à faire que l'on aimerait rester plus longtemps.

LE WEEK-END

Le samedi, certains enfants vont à l'école et des adultes vont travailler. Mais le dimanche est un jour de repos bien agréable pour tous !

Le samedi matin, on va faire les courses pour la semaine. Avec Maman, David choisit une paire de chaussures neuves.

Laura a le temps de s'amuser avec l'ordinateur de Papa.

Maman et Laura sont à la piscine. David et Papa font des acrobaties.

LE WEEK-END

Pendant ces deux jours, les parents s'occupent dans la maison, s'amusent avec les enfants et voient leurs amis.

Dimanche matin, Maman achète des produits frais au marché.

Papa et David partent à vélo se promener dans le parc.

Souvent, le dimanche, on se réunit en famille avec Papy et Mamie, les oncles et les tantes. On s'amuse bien avec les cousins et les cousines.

LES VACANCES D'HIVER

Vent froid et flocons de neige : les vacances d'hiver sont l'occasion de profiter des joies de la montagne.

Emmitouflé dans un anorak, c'est agréable de marcher dans la neige.

Avant de suivre les grands, il faut apprendre avec un moniteur.

Pas facile de tenir debout sur la glace. Heureusement, Papa est là !

En luge, on dévale les pentes. Le plus dur, c'est de les remonter.

LES GRANDES VACANCES

C'est l'été. Toute la famille quitte la maison pour quelques semaines. C'est l'occasion de se reposer et de faire des découvertes.

Pour pêcher la crevette, il faut une épuisette et un panier en plastique.

On rencontre des artisans, qui font des merveilles avec leurs mains.

En montagne, il faut être très patient pour apercevoir des animaux.

Dans ce parc préhistorique, des scènes de chasse sont reconstituées.

LES VACANCES CHEZ PAPY ET MAMIE

Pendant les vacances, on ne peut pas toujours être avec Papa et Maman. Alors, on passe quelques jours chez Papy et Mamie.

Du haut de son échelle, Papy lance des cerises à Mathias, qui les dépose dans son panier.

Mamie et Camille ont rapporté des fleurs des champs pour faire un beau bouquet qui va égayer la maison.

Papy est un grand bricoleur. Il construit une cabane en bois avec Mathias. Attention aux doigts !

Papy et Mamie profitent d'une journée ensoleillée pour emmener leurs petits-enfants dans un parc voir des oiseaux.

PAPY BRICOLEUR

Papy et Dimitri fabriquent un petit radeau en bois pour le faire voguer sur la mare qui est au bout du jardin. Toi aussi, tu peux en fabriquer un.

Assemble avec de la ficelle quatre morceaux de bois coupés dans des branches fines.

Les deux ailettes de la roue sont dessinées sur une plaque de bois léger. Découpe-les avec des ciseaux.

Fixe la roue au radeau avec un grand élastique, tourne-la plusieurs fois et bloque-la avec ta main.

Dépose ton radeau sur l'eau tout en maintenant la roue coincée. Ensuite lâche tout. Il avance tout seul.

BIEN SE CONDUIRE

Il faut respecter les lieux que l'on visite : ne rien abîmer dans la nature, ne rien gâcher dans le paysage.

Quand le pique-nique est terminé, on ne laisse rien traîner pour que l'endroit reste propre et agréable.

Sur la plage, si on veut jouer au ballon, on s'éloigne des gens allongés sur leur serviette.

En montagne, on marche sur les sentiers réservés aux promeneurs, on évite de cueillir les fleurs, car elles sont protégées.

Quand on visite un musée, on parle doucement et on ne court pas partout, pour ne pas déranger les autres.

JOURS DE FÊTE

LES FÊTES

Tout au long de l'année, on souhaite une bonne fête à ceux que l'on aime. On en profite pour leur offrir quelque chose.

Le jour de la fête des Mères, on offre à Maman des cadeaux préparés à l'école. On fait de même pour Papa le jour de la fête des Pères.

Les prénoms sont en général inscrits sur le calendrier. Le jour de la fête des Grands-Mères, on offre un bouquet de jonquilles à Mamie.

L'ANNIVERSAIRE

Aujourd'hui, Arthur a cinq ans. C'est son anniversaire. Ses amis et sa famille lui offrent des cadeaux pour fêter le jour de sa naissance.

Maman a préparé un gros gâteau au chocolat. Arthur souffle ses cinq bougies et ses amis chantent : « Joyeux anniversaire ! »

Le soir, la famille est réunie. Arthur ouvre ses cadeaux. Il est très fier du pull-over que sa marraine a tricoté exprès pour lui.

GÂTEAU D'ANNIVERSAIRE

Voici un gâteau facile à faire pour fêter ton anniversaire avec tes amis.
Pour dix personnes, il te faut :

Bats les jaunes d'œufs avec le sucre jusqu'à ce que le mélange blanchisse.

Continue à battre en ajoutant petit à petit la farine, la levure et la pincée de sel.

Maman fait fondre le chocolat avec le beurre au bain-marie.

Maman bat les blancs d'œufs pour qu'ils montent en neige.

Ajoute le chocolat à la pâte et incorpore délicatement les blancs.

La pâte, dans un moule à baba, cuit au four à 180 °C pendant 45 min.

NOËL

Noël, c'est la fête des enfants. On espère tous la venue du Père Noël, qui va déposer des jouets au pied du sapin.

En attendant le grand jour, toute la famille s'active pour décorer la maison. Le sapin est couvert de boules et de guirlandes multicolores.

Le Père Noël se déplace de maison en maison, assis dans son traîneau tiré par des rennes.

Pour certains enfants, c'est saint Nicolas qui apporte les cadeaux. Il défile dans les rues, monté sur son cheval.

LA NAISSANCE DE JÉSUS

Chez les chrétiens, Noël est l'anniversaire de la naissance de Jésus, le fils de Dieu, à Bethléem, en Palestine.

Jésus est né dans une étable. Marie, sa maman, l'a enveloppé dans un lange et couché dans une mangeoire remplie de paille pour qu'il n'ait pas froid.

Les enfants déposent une crèche au pied du sapin. Ils y installent des santons qui représentent Jésus, Marie et Joseph, le bœuf et l'âne, les bergers et les Rois mages, venus adorer le fils de Dieu dès sa naissance.

LE JOUR DE L'AN

Le 1er janvier, une nouvelle année commence. Les gens se réunissent, la veille, en famille ou entre amis pour faire une grande fête.

Il est minuit, tout le monde s'embrasse en échangeant des vœux de bonheur et de bonne santé.

Début janvier, on envoie un beau dessin pour souhaiter la bonne année à Papy et Mamie, qui habitent loin.

Tous les peuples ne fêtent pas le nouvel an, le 1er janvier. Les Chinois le célèbrent aussi en janvier, mais un peu plus tard. Pour l'occasion, des défilés de dragons sont organisés dans les rues.

LA FÊTE DES ROIS

Dans la religion chrétienne, on célèbre le jour où les Rois mages sont venus adorer Jésus : c'est l'Épiphanie. On déguste la galette des Rois.

Papa coupe la galette en parts bien égales. Dans l'une d'elles, une fève est cachée. Luc, qui est le plus jeune, ferme les yeux et dit à qui il faut donner chacune des parts.

Morgane découvre la fève en mangeant le gâteau. Elle est proclamée reine et reçoit une couronne. Ensuite, elle choisit son roi.

LE JOUR DES CRÊPES

En février, pour la Chandeleur, on s'amuse à faire des crêpes que l'on mange en famille ou avec des amis.

Dès le matin, Maman prépare la pâte, puis la laisse reposer.

Dimitri s'applique pour faire sauter la crêpe et la retourner.

Il a un peu de mal ! Papa et Maman rient aux éclats.

Les crêpes sont prêtes. Quel délice avec de la confiture !

CARNAVAL

Au moment du carnaval, on se déguise et on défile dans les rues.

Voici comment faire une robe de fée. Il faut : trois rouleaux de papier crépon, deux roses et un doré, fil élastique blanc, agrafeuse, colle et paire de ciseaux.

Avec l'aide d'un adulte, prendre tes mensurations et les reporter sur le papier.

Découper le modèle dans deux feuilles superposées.

Pour la jupe, il faut une largeur de papier crépon rose égale à deux fois le tour de taille.

Coudre ou agrafer ensemble les deux parties. Découper le dos en son milieu.

Passer un fil élastique à la taille et découper des demi-cercles pour le bas.

Passer un fil élastique autour du col et de la taille du corsage.

Dans du papier doré, dessiner et découper plein d'étoiles, et deux bandes, pour le cou et la taille.

Coller les étoiles sur le corsage et la jupe de fée.

Passer le costume et resserrer la taille et le col.

Avec la baguette dans une main, voilà une très jolie fée !

Cacher le fil élastique avec les bandes de papier doré.

PÂQUES

Le matin de la fête de Pâques, on se précipite dans le jardin pour chercher les chocolats et les petits cadeaux cachés parmi les fleurs.

Thomas et Sophie regardent partout. Papy les prend en photo, tandis que Papa et Maman les aident à trouver les œufs.

Qui apporte les chocolats ? Dans certains pays, ce sont les cloches ; dans d'autres, c'est le lièvre de Pâques.

DES ŒUFS DE PÂQUES

Voici un cadeau rigolo à offrir pour Pâques. Il faut : boîte de six œufs, pinceau, peinture, feuille 21 x 29,7 cm, colle et ciseaux.

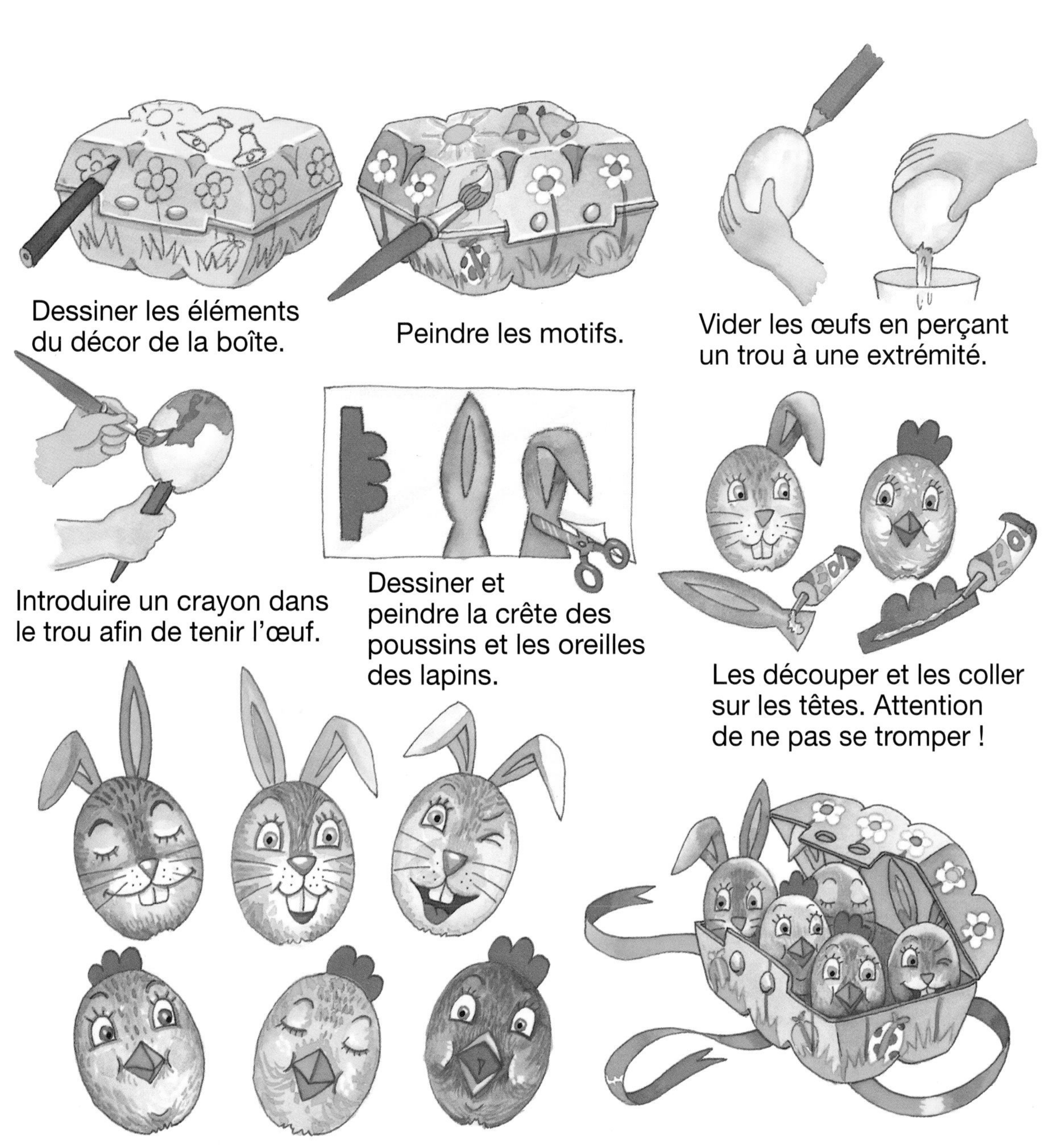

Dessiner les éléments du décor de la boîte.

Peindre les motifs.

Vider les œufs en perçant un trou à une extrémité.

Introduire un crayon dans le trou afin de tenir l'œuf.

Dessiner et peindre la crête des poussins et les oreilles des lapins.

Les découper et les coller sur les têtes. Attention de ne pas se tromper !

Essaie de reproduire ces quelques exemples. Place les œufs dans la boîte en baissant les grandes oreilles des lapins pour pouvoir bien la fermer.

LES FÊTES DU PRINTEMPS

À la fin de l'hiver, la nature se réveille : les primevères et les tulipes sortent de terre, les oiseaux chantent à nouveau. L'air est plus doux...

Dans certaines régions, pour fêter le retour du printemps, on brûle le bonhomme Hiver et on défile, déguisés, dans la rue.

Le 1er avril, on accroche un poisson en papier dans le dos de ses amis pour leur faire une farce.

Au 1er mai, on offre des bouquets de muguet, car cette petite fleur des bois porte bonheur.

LES FÊTES DE L'ÉTÉ

Le premier jour de l'été est un jour particulier : le Soleil éclaire plus longtemps la Terre et la nuit est la plus courte de l'année.

Pour fêter l'arrivée de la belle saison, on danse autour d'un grand feu de joie, le feu de la Saint-Jean.

Pour fêter la musique, tout le monde chante ou joue d'un instrument dans les maisons, les écoles, les rues...

Le 15 août, jour de la fête de la Mer, les marins décorent leur bateau.

On profite des douces soirées pour inviter les amis autour d'un barbecue.

HALLOWEEN

Le 31 octobre, on fête Halloween. Louis, Juliette et tous leurs camarades se déguisent et s'amusent à se faire peur.

Pour donner des frissons aux petits copains : suspendre des yeux dans les arbres, des guirlandes de fantômes et des araignées toutes noires.

Pour effrayer les voisines : tailler des visages dans des citrouilles, éclairer avec des bougies et déposer ces lanternes dans le jardin.

CHAPEAU DE SORCIÈRE

Il faut : grande feuille de papier blanc cartonné, papier crépon noir, orange et doré, coton, compas, paire de ciseaux, laine noire, colle et Scotch.

Tourner le papier blanc pour former le chapeau et le fermer avec du Scotch.

Avec le compas, dessiner et découper un anneau, qui sera le bord du chapeau.

Le recouvrir de papier crépon noir.

Découper le chapeau suivant le schéma.

Découper une bande orange et une boucle dorée et les coller sur le chapeau.

Pour l'araignée, déposer du coton au milieu d'un carré de papier crépon noir.

Faire une petite bourse et la fermer avec un bout de laine noire.

Découper six pattes et deux yeux. Les coller sur la boule. Attacher l'araignée par le bout de laine avec du Scotch à l'intérieur du chapeau.

Voilà un chapeau de sorcière d'enfer !

GUIRLANDES POUR HALLOWEEN

Il faut : rouleaux de papier crépon orange, noir et blanc, crayon à papier, paire de ciseaux et Scotch.

Découper des bandes de papier de 10 cm de large.

Faire un pliage en accordéon de six feuilles maximum.

Dessiner et découper les formes selon les modèles.

modèle de citrouille

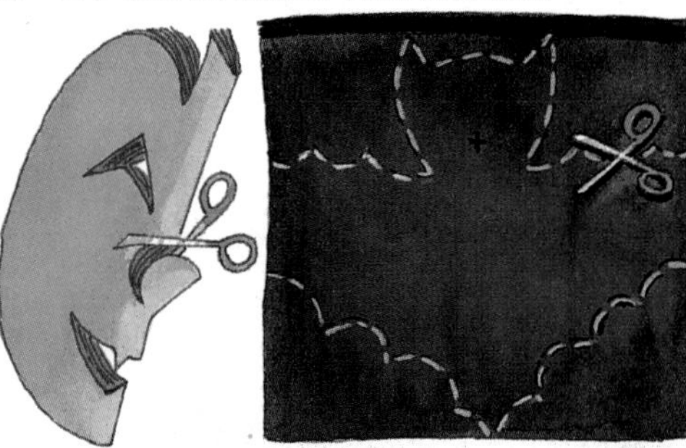

modèle de chauve-souris

modèle de fantôme

Attention ! Découper le long des pointillés uniquement.

Déplier les guirlandes. Pour les allonger, les relier avec du Scotch.

SENTIMENTS ET ÉMOTIONS

AIMER ET ÊTRE AIMÉ

Pour être heureux, on a besoin d'être aimé et d'aimer. Or l'amour ne se voit pas. Quand on le ressent, on le montre avec des gestes.

Faire un gros câlin dans les bras de Maman, partager des jeux avec Papa : ce sont des instants que l'on n'oublie pas.

Offrir un cadeau à ceux que l'on aime, prêter son écharpe à un ami qui a froid : ce sont des gestes d'amour et d'amitié.

ÊTRE JALOUX

On est jaloux quand on a envie d'avoir ce que les autres possèdent ou quand on ne peut pas faire ce que d'autres réussissent à réaliser.

Bébé est né. Papa et Maman s'occupent moins de Léo.

C'est l'anniversaire de Rémi. Isa pleure, elle n'a pas de cadeaux.

Pendant qu'Éric est félicité pour ses bonnes notes, sa sœur boude.

Jules n'est pas content, le vélo de son amie est plus grand que le sien.

RIRE, ÊTRE GAI

On rit quand on voit ou entend quelque chose de drôle.
Parfois, on rit sans pouvoir s'arrêter : c'est un fou rire.

Le spectacle des clowns fait rire les petits et les grands.

Voir et faire des grimaces, ça fait rire. Et c'est bon de rire !

Dire des gros mots, c'est interdit, mais comme c'est amusant !

Quelle farce ! La petite fille, d'abord surprise, se met à rire.

PLEURER, ÊTRE TRISTE

On pleure quand on est triste ou que l'on a mal. À ce moment-là, on se sent seul et on a envie d'être consolé.

Paul s'est bagarré avec son copain. Maintenant, il pleure.

Élisa est malheureuse, elle a fait une bêtise et Maman la gronde.

Pierre a un gros chagrin, car son cochon d'Inde vient de mourir.

Maman le console et lui explique pourquoi son animal est mort.

AVOIR MAL

Parfois, il arrive de petits accidents. Rien de grave, mais on souffre quand même. Il faut être grand pour ne pas trop pleurer.

Sophie vient de tomber de vélo. Son genou saigne et la brûle.

Maman nettoie la plaie pour éviter qu'elle s'infecte.

Sophie rentre à pied. Son genou est trop douloureux.

Elle est fière de montrer à Papa son gros pansement.

ÊTRE EN COLÈRE

On se met parfois en colère. Cela arrive surtout quand on ne peut pas faire ce qu'on veut ou quand quelqu'un nous embête.

Alex est furieux. Il pleure, car Maman lui a interdit de sortir.

Il s'enferme dans sa chambre et ne veut rien faire.

Alex boude. Il se cache derrière le rideau quand Maman lui apporte son goûter. Puis sa colère passe et il accepte de jouer aux petits chevaux.

AVOIR PEUR

On peut avoir peur du loup, du médecin ou des orages sans vraiment savoir pourquoi. En grandissant, beaucoup de craintes disparaissent.

Julie n'arrive pas à s'endormir. Elle entend de drôles de cris.

Elle pleure, car elle imagine un méchant monstre dans le jardin.

Maman lui explique que ce sont des grenouilles qui coassent.

Julie est rassurée. Maman lui fait un bisou et allume la veilleuse.

AVOIR DU COURAGE

Avoir du courage, c'est pouvoir affronter une situation difficile.
C'est aussi se forcer à faire des choses qu'on n'a pas envie de faire.

Répondre à la maîtresse quand on est timide, c'est difficile.

Ranger sa chambre quand tous les jouets sont sortis, quel effort !

Aller chez le dentiste ou chez le médecin quand on a peur d'avoir mal, c'est courageux. On est très fier ensuite de dire qu'on n'a pas pleuré.

LA JOIE DE DONNER

On peut être heureux de partager son gâteau préféré avec un ami simplement pour lui faire plaisir.

Didier cherche le doudou de Nina. Il sait que sa petite sœur sera malheureuse sans cela. Quel soulagement de le retrouver !

Rémi prépare en secret un petit cadeau pour son arrière-grand-mère. Il devine qu'elle sera très contente de ce présent, qu'il a fait lui-même.

ÊTRE GÉNÉREUX

C'est rendre service à quelqu'un, aider ceux qui ont des difficultés, prêter ses affaires, partager son goûter.

C'est gentil d'accueillir un nouvel élève, de l'inviter à venir jouer. On est serviable en aidant un ami blessé à prendre son repas à la cantine.

Donner de la nourriture pour les gens qui ne mangent pas à leur faim ou un jouet à un enfant qui n'en a pas, c'est généreux.

LES PETITS PLAISIRS DE LA VIE

Il y a sûrement des choses toutes simples qui te procurent de petits instants de bonheur. Peux-tu en énumérer quelques-unes ?

Lécher la cuillère pleine de chocolat.

Dessiner un bonhomme sur une vitre embuée.

Sauter dans les flaques d'eau.

Se déguiser avec les habits de ses parents.

Faire un volcan avec la purée.

Garder les images des tablettes de chocolat.

À Dimitri, Laura et Élisa, mes petits-enfants.

E. B.

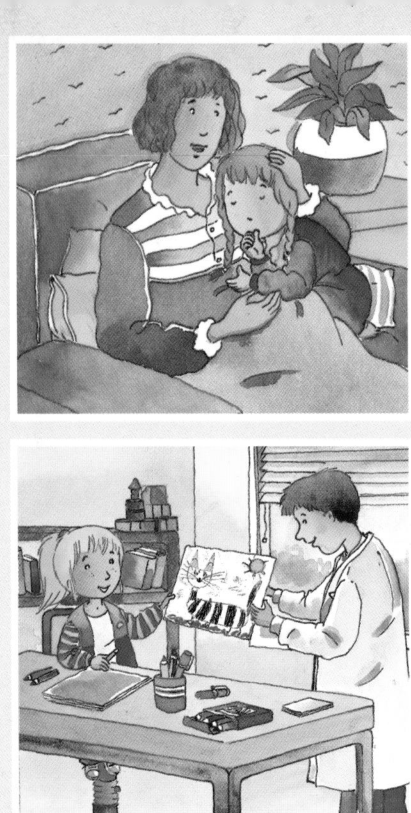

dimitri